Direction artistique : Anne-Catherine Souletie
Maquette : Laurence Moinot
Mise en page : Sokona Tounkara

Conforme à la loi n° 49.956 du 16 juillet 1949
sur les publications destinées à la jeunesse.
© Éditions Nathan, 2007.
ISBN : 978-2-09-251529-7
N° d'éditeur : 10137978
Dépôt légal : avril 2007
Imprimé en Espagne

Le Petit Poucet

D'après le conte de Charles Perrault
Illustrations de Crescence Bouvarel

 **IL ÉTAIT UNE FOIS** un bûcheron et sa femme qui avaient sept enfants, tous des garçons. Ils étaient si pauvres qu'ils avaient beaucoup de mal à les nourrir.

L'aîné n'avait que dix ans et le plus jeune, sept. Les parents étaient surtout inquiets pour le dernier. Il n'était pas plus grand qu'un pouce... c'est pourquoi, on l'avait appelé le Petit Poucet.

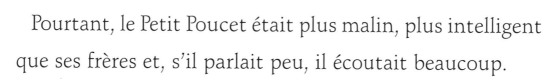

Pourtant, le Petit Poucet était plus malin, plus intelligent que ses frères et, s'il parlait peu, il écoutait beaucoup.

Cette année-là, la famine fut si grande dans la pauvre maison que le bûcheron décida, malgré le chagrin de sa femme, d'aller perdre leurs enfants dans la forêt, pour qu'ils ne meurent pas de faim sous leurs yeux.

Mais le Petit Poucet, caché sous le tabouret de son père, avait tout entendu.

Sans faire de bruit, le Petit Poucet alla se coucher.

Le lendemain matin, il se leva de bonne heure et courut jusqu'à la rivière. Il remplit ses poches de petits cailloux blancs, puis revint silencieusement se coucher.

Peu de temps après, le bûcheron conduisit ses enfants dans la forêt et leur demanda de faire des fagots.

Quand les petits furent occupés, il s'enfuit tristement par un sentier détourné.

Lorsque les enfants s'aperçurent qu'ils étaient seuls, perdus dans la forêt, ils se mirent à pleurer…

Le Petit Poucet, lui, ne pleurait pas :

– N'ayez pas peur, mes frères, je sais comment vous ramener à la maison : suivez-moi !

Le Petit Poucet, qui avait semé en cachette des petits cailloux blancs tout le long du sentier, retrouva facilement le chemin du retour.

Quand ils frappèrent à la porte de la pauvre chaumière, leur mère courut leur ouvrir et les serra dans ses bras.

Hélas ! Le bûcheron et sa femme n'avaient toujours rien à manger, ni pour eux, ni pour leurs enfants.

Encore une fois, ils décidèrent d'aller les perdre dans la forêt et de les emmener beaucoup plus loin. Le Petit Poucet avait à nouveau tout entendu mais, ce soir-là, la porte était fermée à clé et il ne put courir à la rivière pour chercher de petits cailloux blancs.

« Tant pis ! se dit-il. J'émietterai le pain de mon maigre repas sur le chemin, et nous pourrons rentrer chez nous, comme la dernière fois. »

Mais lorsque les pauvres enfants se retrouvèrent à nouveau seuls dans la forêt, le Petit Poucet eut la triste surprise de ne plus voir les miettes de son pain : les oiseaux les avaient mangées !

Quand la nuit vint, un grand vent se leva, tellement effrayant que les enfants croyaient entendre de tous côtés des hurlements de loups.

Alors, le Petit Poucet grimpa tout en haut d'un arbre et il aperçut là-bas, au loin, la lueur d'une chandelle. Aussitôt, il décida de partir avec ses frères en direction de cette lumière.

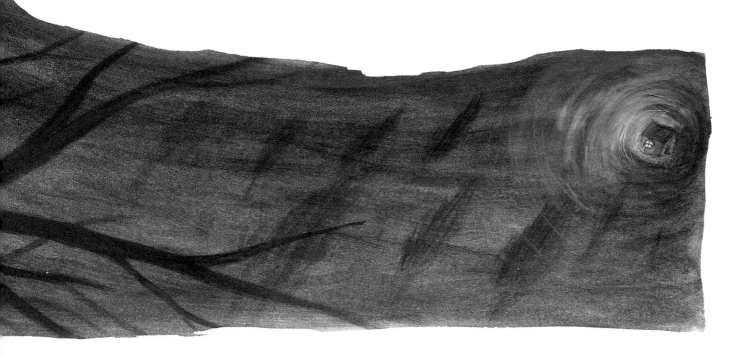

Ils arrivèrent devant une grande maison. Ils frappèrent à la porte, et une femme vint leur ouvrir.

– Que voulez-vous, mes enfants ? demanda-t-elle.

– Madame, nous sommes de pauvres enfants perdus, et nous n'avons nulle part où dormir…

La femme se mit à pleurer et leur dit :

– Mes pauvres enfants, vous êtes dans la maison d'un ogre qui mange les petits enfants.

– Madame, lui répondit le Petit Poucet, nous préférons que ce soit l'ogre qui nous mange, plutôt que les loups de la forêt !

La femme de l'ogre les laissa entrer et les mena près du feu, où elle faisait rôtir un mouton entier pour le dîner de son mari.

Tout à coup, ils entendirent frapper à la porte. C'était l'ogre qui revenait ! Affolée, sa femme coucha les garçons dans la chambre de ses sept filles où il y avait deux grands lits. Puis, elle alla ouvrir à son époux.

Pendant ce temps, le Petit Poucet prit les sept couronnes d'or que les sept petites ogresses portaient même la nuit. Il les posa sur la tête de ses frères et en garda une pour lui.

– Mmm… Je sens la chair fraîche ! dit l'ogre en rentrant chez lui.

Il ouvrit la porte de la chambre où il faisait sombre, et il s'approcha des deux lits. Il toucha les sept têtes couronnées, crut que c'étaient celles de ses filles, puis il découvrit les sept têtes sans couronnes et les trancha.

Tranquille, il alla se coucher.

Le Petit Poucet, qui ne dormait pas, entendit ses ronflements sonores. Il réveilla ses frères ; tous s'habillèrent bien vite et descendirent au jardin. Ils sautèrent par-dessus le mur et coururent presque toute la nuit, tremblant de peur, sans savoir du tout où ils allaient.

Le lendemain matin, lorsque l'ogre découvrit ses sept filles mortes dans leur lit, il hurla :

– Ah ! qu'ai-je fait là ? Ces garnements me le paieront cher. Femme, donne-moi vite mes bottes de sept lieues pour que je les rattrape !

Il parcourut les montagnes, les plaines, traversa les rivières aussi facilement que des ruisseaux avec ses bottes de sept lieues.

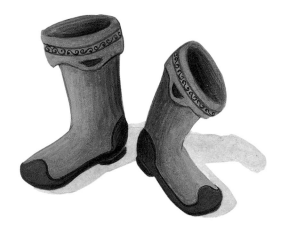

Les sept frères étaient presque arrivés chez eux quand ils aperçurent l'ogre qui s'approchait. Vite, ils se cachèrent sous un rocher creux. Mais l'ogre, qui était fatigué, s'allongea par hasard contre leur rocher, et il s'endormit.

Le Petit Poucet dit à ses frères d'aller retrouver leurs parents, puis il s'approcha de l'ogre, lui enleva ses bottes de sept lieues et les enfila. Elles étaient magiques ! Elles s'adaptèrent parfaitement à ses petits pieds.

Ainsi chaussé, le Petit Poucet alla jusqu'au palais du roi et se présenta à lui :

– Sire, je suis le plus rapide messager de ce royaume, grâce à mes bottes de sept lieues. Prenez-moi à votre service !

Le roi accepta et le nomma Grand Messager. Et bientôt, le Petit Poucet gagna tant et tant d'argent qu'il put rentrer à la maison, aider ses frères et ses parents, et vivre heureux jusqu'à la fin de ses jours.